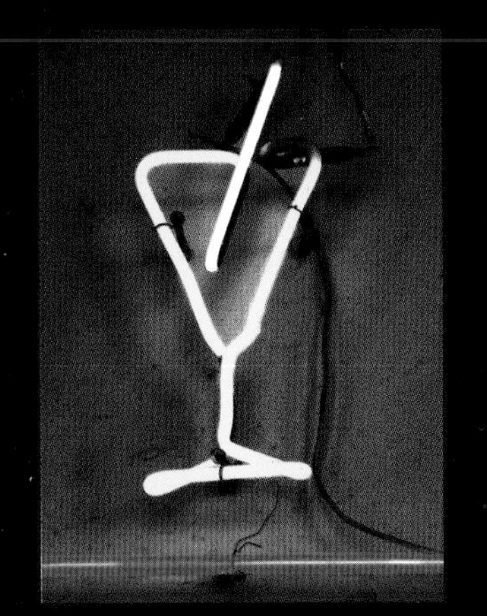

3ra Categoria

750 ML
Ron R. Galeón $60.00

700 ML
Ron R. Ronda (bot) $57.00

Tabacos Nacionales (u) $1.00

C. Criollos.

Cja.
Cigarros Titanic. $7.00

Cigarros Criollos.

Cigarros Aromas (caja) $7.60

BOT.

LOS BARES DE LA HABANA ★ EDICION ESPECIAL

BARS OF HAVANA

PHOTOGRAPHY BY ANDERS AND VIKTOR RISING

1. **El Bosque**

VIVA
EL 50 ANIVERSARIO
DE LA VICTORIA DE
PLAYA GIRON

2. **Unidad el Sol**

3. Rio la Plata

Cigarros
Tabacos
Jugos
Refrescos
Comidas
Criollas
Cervezas
Rones
Fiambres
Bocaditos
Dulces
Confituras
PUNTO
Contra Incer

4. Único de Reina
5. El Mundo

6. **Bar Madrid**

7. Bar 10 Cent

8. **Las Alegrías**

9. **Guayabal**

10. **Tuty**

11. San Juan

12. **Los Parados**

13. Bar Siglo 20

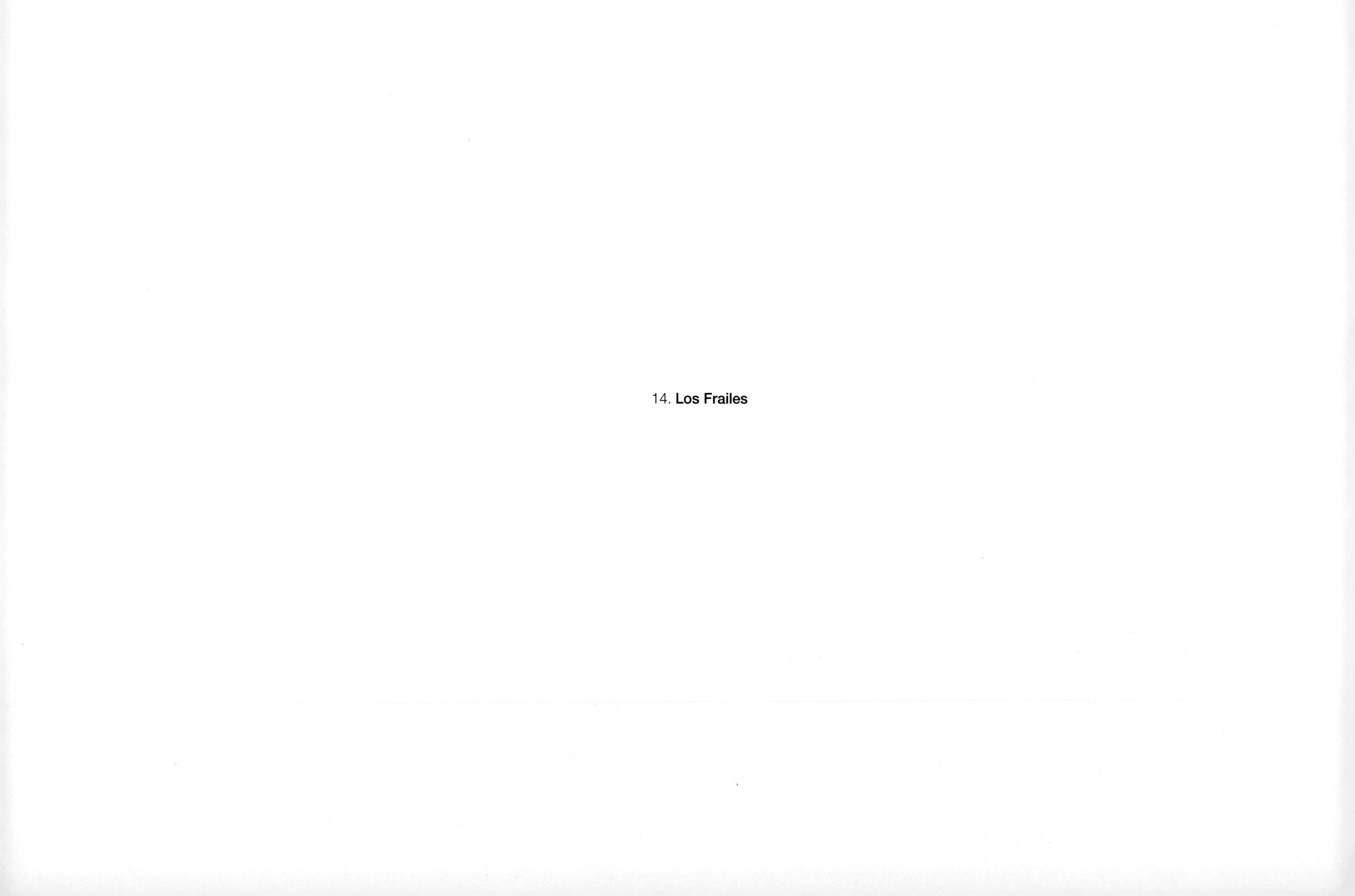

14. **Los Frailes**

15. **Actualidades**
16. **Paladar**
La Guarida

17. **La Mina**

18. **Café Oriente**

19. Fundación
Habana Club

20. **Café Taberna**

21. **Toledo**

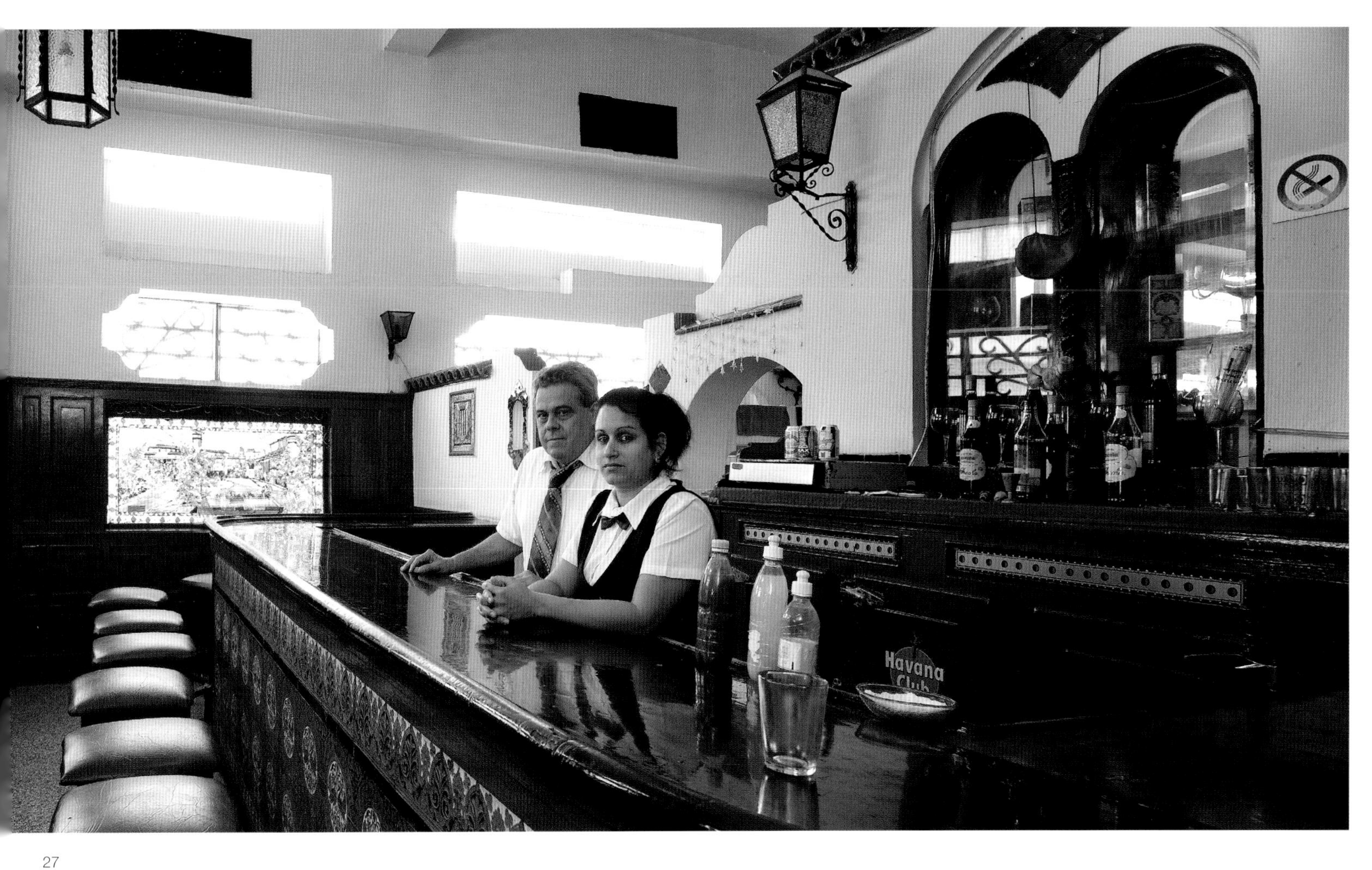
Havana
Club

22. **Bodeguita del Medio**

23. **Bacardi Bar**

24. **Bar Las Brisas**

25. Club Los Amantes

26. **Puerto de Ságua**

27. Nautilus

28. **Bar Rosy**
29. **Bar la Peña**

BAR
UNIDAD
LA PEÑA

30. **Bar Bella Flores**

31. La Central de Reina

32. **Casa de los Vinos**

33. Bar los Marineros

34. **Intermezzo**
35. **La Torre de Marfil**

CAMBIAR EL
VUELTAS POR

36. **El Lázaro**

37. Los Fornos

38. **Metropolitano**

39. **Yumurí Mini Restaurante**

Plante

40. **Casa de Café**

41. **Dos Hermanos**

42. **Bar Lamparilla**

43. **El Floridita**

LA CUNA DEL DAIQUIRI

44. **Villa Nueva**
45. **Inglaterra**
46. **Taberna de la Muralla**

SALM

47. **La Casa Grande**

Industria
Cafeteria

48. **Fundación Habana Club**
49. **Bar Monserrate**

BAR MONSERRATE
CERVEZA
CRISTAL
La preferida de CUBA

50. **La Terraza**
51. **Bar Prado 264**

PRADO 264
BAR
264
RESTAURANTE
PRADO
264

52. **La Dichosa**

53. **Bar Victoria**

54. **Le Petit**
55. **Bar la Lluvia del Oro**

LLVVIA DE ORO

56. **Bar Detroit**

57. **Café Paris**

FAUSTO
Festejando
los
la Revolució

58. **Salón Fausto**

59. **Ángel de Tejadillo**

FCBARCELONA
ATHLETIC CLUB
RACING
5-0
10
CHAMPIONS
El Angel de

BAR
CAFETERIA
GALINDO

ALMACEN

60. Bar Galindo

61. Silvia

62. **Palermo Cabaret**

PALERMO

63. **Foxa Skybar**

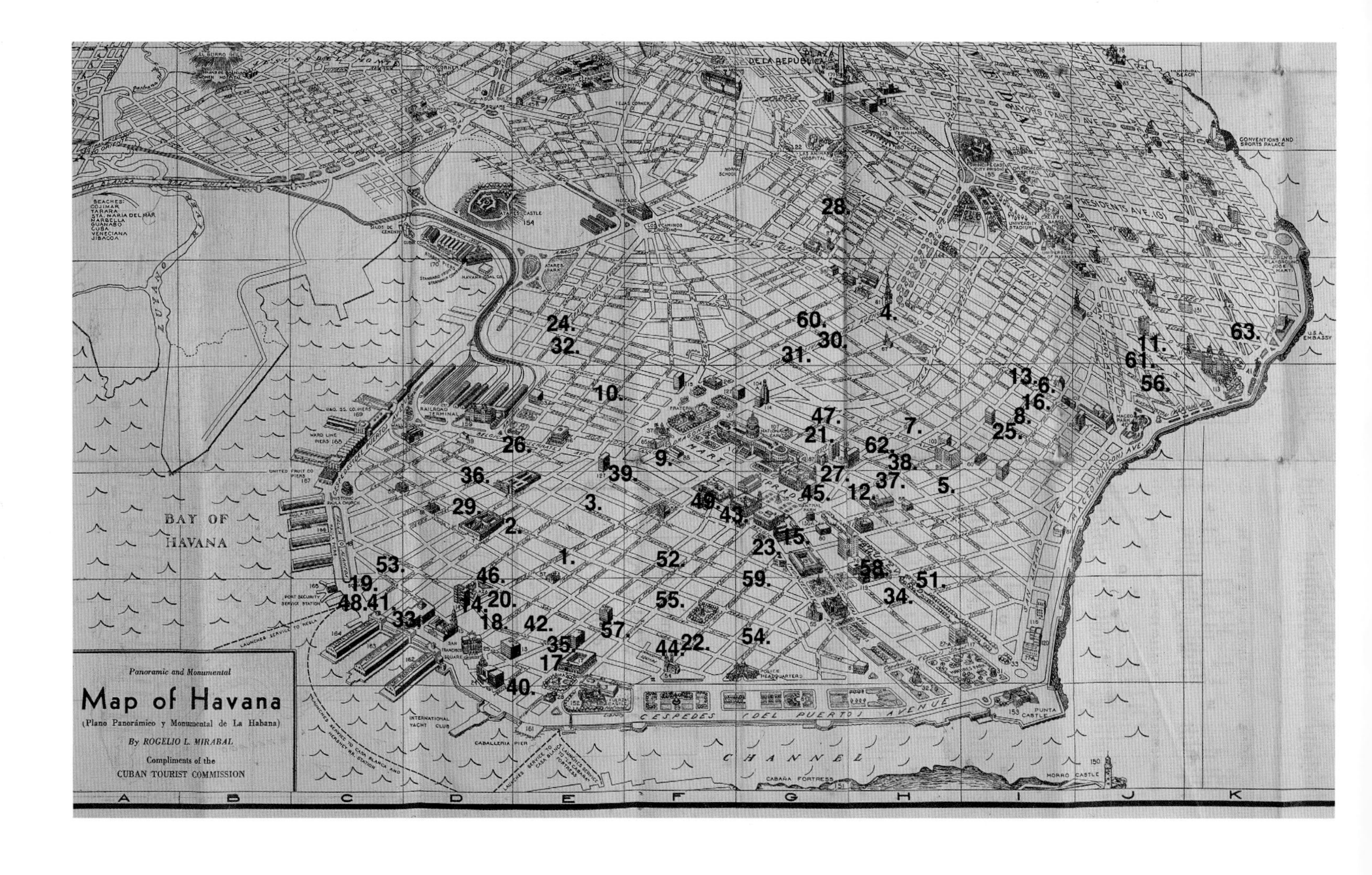
Panoramic and Monumental
Map of Havana
(Plano Panorámico y Monumental de La Habana)
By ROGELIO L. MIRABAL
Compliments of the
CUBAN TOURIST COMMISSION
BAY OF HAVANA
CHANNEL
CESPEDES (DEL PUERTO) AVENUE
MORRO CASTLE
CABAÑA FORTRESS
PUNTA CASTLE
INTERNATIONAL YACHT CLUB
CABALLERIA PIER
POLICE HEADQUARTERS
PLAZA DE LA REPUBLICA
MAYORS (PASEO) AVE.
PRESIDENTS AVE. (G)
CONVENTIONS AND SPORTS PALACE
U.S.A. EMBASSY
MACEO (MALECON) AVE.
UNIVERSITY STADIUM
CENTRAL TERMINAL
ATARES CASTLE
ATARES PARK
RAILROAD TERMINAL
WARD LINE PIERS 168
UNITED FRUIT CO PIERS
HISTORIC PAULA CHURCH
SAN FRANCISCO SQUARE
BEACHES: COJIMAR TARARA STA. MARIA DEL MAR MARBELLA GUANABO CUBA VENECIANA JIBACOA
A B C D E F G H I J K

1. **El Bosque**
Teniente Rey y Aguiar
Habana Vieja

2. **Unidad el Sol**
Sol y Habana
Habana Vieja

3. **Rio la Plata**
Muralla No.402 esq.
Aguacate
Habana Vieja

4. **Único de Reina**
Reina y Escobar
Centro Havana

5. **El Mundo**
Virtudes esq. Águila
Habana Vieja

6. **Bar Madrid**
Belascoain esq.
Concordia
Centro Habana

7. **Bar 10 Cent**
Galiano esq. San Miguel
Centro Habana

8. **Las Alegrías**
Concordia esq. Lealtad
Centro Habana

9. **Guayabal**
Monte
No.508 e/ Zulueta y
Dragones
Habana Vieja

10. **Tuty**
Cienfuegos y Apodaca
Habana Vieja

11. **San Juan**
Calzada de Infanta y 25
Vedado

12. **Los Parados**
Neptuno y Consulado
Centro Habana

13. **Bar Siglo 20**
Neptuno y Gervasio
Centro Habana

14. **Los Frailes**
Brasil y Oficios
Habana Vieja

15. **Actualidades**
Ave. Bélgica No.264
Habana Vieja

16. **Paladar La Guarida**
Concordia No.418 e/
Gervasio y Escobar
Centro Habana

17. **La Mina**
Plaza de Armas
Habana Vieja

18. **Café Oriente**
Plaza San Francisco esq.
Amargura
Habana Vieja

19. **Fundación Habana Club**
Ave. del Puerto No.162
Habana Vieja

20. **Café Taberna**
Mercaderes esq. Teniente
Rey
Habana Vieja

21. **Toledo**
Barcelona esq. Águila
No.520
Centro Habana

22. **Bodeguita del Medio**
Empedrado No.207
Habana Vieja

23. **Bacardi Bar**
Edificio Bacardi
Ave. de Bélgica esq. San
Juan De Dios
Habana Vieja

24. **Bar Las Brisas**
Ave. de España esq.
Revillagigedo
Habana Vieja

25. **Club Los Amantes**
Concordia No.206 e/
Manrique y Campanario
Centro Habana

26. **Puerto de Ságua**
Egido e/ Jesus Maria y
Acosta
Habana Vieja

27. **Nautilus**
San Rafael e/ Prado y
Consulado
Centro Habana

28. **Bar Rosy**
Sobirana esq. Desagüe
Centro Habana

29. **Bar la Peña**
Luz esq. Damas
Habana Vieja

30. **Bar Bella Flores**
Reina No.306
Centro Habana

31. **La Central de Reina**
Reina y Aguila
Centro Habana

32. **Casa de los Vinos**
Factoría y Esperanza
Habana Vieja

33. **Bar los Marineros**
Ave. del Puerto
Habana Vieja

34. **Intermezzo**
Refugio No.111
Habana Vieja

35. **La Torre de Marfil**
Mercaderes e/ Obispo y
Obrapía
Habana Vieja

36. **El Lázaro**
Compostela esq. Jesús
María
Habana Vieja

37. **Los Fornos**
Neptuno e/ Industria y
Consulado
Centro Habana

38. **Metropolitano**
Neptuno esq. Amistad
Centro Habana

39. **Yumurí Mini Restaurante**
Monte y Egido
Habana Vieja

40. **Casa de Café**
Calle Baratillo
esq. Obispo
Habana Vieja

41. **Dos Hermanos**
San Pedro No.304
Habana Vieja

42. **Bar Lamparilla**
Mercaderes esq.
Lamparilla
Habana Vieja

43. **El Floridita**
Obispo No.557
Habana Vieja

44. **Villa Nueva**
Plaza Catedral
Habana Vieja

45. **Inglaterra**
Paseo No.416
Habana Vieja

46. **Taberna de la Muralla**
Plaza Vieja
Habana Vieja

47. **La Casa Grande**
Águila No.501
Centro Habana

48. **Fundación Habana Club**
Ave. del Puerto No.162
Habana Vieja

49. **Bar Monserrate**
Ave. de Bélgica No.401
Habana Vieja

50. **La Terraza**
Cojímar

51. **Bar Prado 264**
Prado No.264
Centro Habana

52. **La Dichosa**
Obispo esq. Compostela
Habana Vieja

53. **Bar Victoria**
Luz esq. Oficios
Habana Vieja

54. **Le Petit**
Chacón esq. Aguiar
Habana Vieja

55. **Bar la Lluvia del Oro**
Obispo e/ Habana y
Aguiar
Habana Vieja

56. **Bar Detroit**
Humboldt esq. Hospital
Vedado

57. **Café Paris**
Obispo esq. San Ignacio
Habana Vieja

58. **Salón Fausto**
Paseo No.163
Habana Vieja

59. **Ángel de Tejadillo**
Aguacate esq. Tejadillo
Habana Vieja

60. **Bar Galindo**
Esq. Manrique y Estrella
Centro Habana

61. **Silvia**
Príncipe esq. Vapor
Vedado

62. **Palermo Cabaret**
San Miguel esq. Amistad
Centro Habana

63. **Foxa Skybar**
Edificio Foxa
Vedado

Special thanks to Dr. Eusebio Leal Spengler
La Oficina Del Historiador
Oskar Rising, www.rbls.se

Photography Anders Rising & Viktor Rising
Graphic Design Claes Gustavsson
Retouch/Prepress Oskar Rising, RBLS Sweden
Printed by Elanders Fälth & Hässler

ISBN 978-91-637-1262-3